Pois d'argent

D0254420

SYLVIE DESHORS

Images de Monike Czarnecki

R U E D U M O N D E

– Bouge de là !

Je m'exécute. Je me laisse glisser au sol devant Jordi. Sa main fouette le vide. Je rampe sur le quai. Il m'attrape par une cheville, ricane. Me lâche. Ça le met en joie de me voir faire le lézard pour fuir hors de sa portée.

Tous le craignent. Mais moi, encore plus. Je suis le plus jeune. Le plus petit de la tribu du métro D.

Recroquevillé au bout du quai, je les observe de loin : les douze sont là. Pas bon signe.

Je voudrais remonter à la surface pour qu'ils m'oublient, mais ils squattent le palier. Je fouille autour d'une poubelle, ne ramasse qu'un mégot. Je le garde pour Mila. J'ai faim. Quand j'ai faim, je ne fais rien. Je n'ai plus du tout envie de bouger.

– Malheur, viens ici !

Quand Jordi ordonne, faut pas lambiner. Il m'appelle « Malheur », c'est le surnom qu'il me donne depuis mon arrivée, et tous ceux du métro l'imitent. Malheur, c'est pas un nom. Un jour, avec les plus belles lettres, j'inventerai un mot et ce sera mon nom pour tout le reste de ma vie.

La tribu crie, se dispute, s'insulte en m'oubliant. Je n'essaie pas de comprendre leur plan, je m'écrase. Soudain, Jordi fond sur moi : je fais partie de leur expédition. Dès la sortie du métro, je dois courir entre lui et l'Idiot. Si je ralentis, ils me pincent les mollets. La nuit est humide. Un sale brouillard flotte au carrefour. Les phares semblent surgir de nulle part. Je trébuche en prenant un virage, Jordi me récupère d'une main et me plaque contre le mur. Il me montre une ouverture au ras du trottoir en face. Je sais ce qu'il attend de moi. Les deux grands s'adossent au mur et, derrière leurs jambes, je me coule par le soupirail. J'atterris dans la cave.

C'est noir. Je tâte sol et murs. J'ai mal au ventre. La dernière fois, j'ai vu courir des rats. J'ai paniqué et Jordi a bien rigolé. Pourvu que je trouve vite quelque chose qui l'intéresse.

Je siffle le signal dès que je mets la main sur des bidons remplis, que je leur passe. Sous une planche, je découvre encore deux bouteilles pleines. Les grands ont l'air contents.

J'étire les bras. J'ai toujours peur qu'ils me laissent dans le trou. L'Idiot me hisse. Je sprinte derrière eux. On n'a pas dû rester plus de cinq minutes dans la rue.

Sur le grand boulevard, je pile en évitant de justesse des files d'attente. Les lettres rouges qui défilent sur les écrans en hauteur m'hypnotisent. Devant les guichets, il y a des enfants de mon âge, propres, avec leurs parents. Je me demande s'ils attendent pour voir le film avec l'affiche du château qui flotte dans le ciel. J'aimerais bien savoir son titre et ceux des autres qui sont annoncés. Quand on connaît le titre, on est déjà un peu dans le film. Un coup dans les côtes me rappelle à l'ordre. Il faut toujours suivre Jordi.

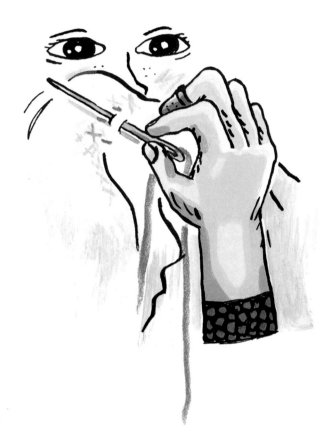

Je me souviens de grand-mère, elle avait toujours besoin de mes yeux. Tout petit, je la guidais, je l'accompagnais partout. Avant ma naissance, elle était brodeuse. Les femmes racontaient qu'avec ses fils elle faisait des merveilles. Qu'entre ses doigts habiles, l'aiguille semblait danser toute seule. Mais ses yeux se sont usés. D'un coup, grand-mère s'est retrouvée dans le noir complet. Je ne l'ai connue qu'aveugle. Pourtant, elle veillait sur moi. Un matin, à mon réveil, elle n'était plus là. Je suis resté dans sa maison au milieu des autres sur la colline. J'ai attendu. Je n'avais plus à manger. Un voisin est venu. Il m'a chassé. J'ai emporté avec moi la couverture de grand-mère. Elle était chaude et de toutes les couleurs. On me l'a volée, le premier soir.

Quand Mila m'a ramassé sur le trottoir, j'avais compris. La rue, seul, c'est trop dangereux. Je l'ai suivie dans la tribu de la ligne D. Aux adultes qui nous questionnent, on répond que nous sommes frère et sœur. Tous les deux, on est pareils : sales, pas peignés, pieds nus dans des baskets trouées. Ils nous croient. J'ai oublié la vie du dessus.

L'envie de vomir me réveille. Hier, j'ai eu le droit de boire le fond de la deuxième bouteille. C'était fort, mais l'alcool m'a fait oublier la faim. Mila dort encore. La nuit, je partage son carton. Pour une fille, elle est vraiment balèze et bagarreuse. C'est ma protectrice.

Quand Jordi pique sa crise, à chaque fois, il veut me chasser parce que je suis le treizième de la bande. Il crie que le chiffre 13 porte malheur même aux millionnaires du casino et qu'à cause de moi le pire viendra au fond du métro. Mila me planque le temps d'éviter le danger. Elle me soutient face à lui : la tribu a besoin d'un petit pour voler, pour rouler les bénévoles du centre d'accueil qui nous guettent. Mila n'a pas peur de Jordi, c'est la seule. Mais depuis qu'un début de moustache noircit la lèvre du chef, sa méchanceté augmente chaque jour. Et il est de plus en plus fort.

Je la regarde et je sais qu'elle va dormir longtemps. Les autres aussi. Avant de boire, ils ont respiré les produits des deux bidons, ça sentait la colle. J'aime pas faire ça. Ça fait fondre le cerveau.

Les travailleurs attendent le premier métro. Ceux qui font attention à moi n'ont pas l'air contents de me voir. Je monte vers le jour. Il faut que je trouve à manger avant qu'il ne se lève complètement.

Je vais vers le square aux vieilles. Les vieilles y nourrissent les pigeons. Tôt le matin, elles arrivent. Au milieu des battements d'ailes, elles lancent du pain, des graines, des tas de bonnes choses. Je reste caché dans les buissons avant de m'approcher. Les vieilles n'aiment que leurs pigeons. Si elles m'aperçoivent, elles donnent l'alerte. Enfin, les unes après les autres, elles s'en vont.

Je fonce au milieu des gros oiseaux pour récupérer les restes. Je leur arrache le meilleur morceau. Une bouillie de pain trempé dans du lait, servie dans un journal. Pas n'importe lequel. La vieille d'aujourd'hui utilise un papier journal lisse et brillant, mais elle ne vient pas souvent.

Quand j'ai léché la dernière goutte, je défroisse les feuilles. Sur l'une des pages, j'admire la photo du Roi du ballon. Le meilleur joueur au monde est de chez nous ! Le pied sur la balle, il brandit une coupe ! Sous la photo, il y a des colonnes de signes noirs. Beaucoup de petits paquets de lettres. Peut-être que les grosses en couleurs disent qu'il a gagné ou qu'il vient jouer dans notre ville. Est-ce qu'il faisait déjà du foot à mon âge ? Longtemps, je regarde le texte sans comprendre. Certaines vieilles doivent savoir lire, mais je leur fais peur. Pour elles, je suis un sale voleur.

Je ne leur fais pas confiance, moi non plus. Le square se remplit de gens, faut que je disparaisse. Je plie la feuille en tout petit pour la cacher sous mon talon, dans ma basket droite. Le Roi du ballon sera tout plissé, mais je ne veux pas qu'on me le pique. Et ma basket droite contient déjà mon trésor. C'est mon coffre-fort.

Mila, maussade, mendie en haut des marches du métro D, une boîte à ses pieds. Je lui tends la page pour qu'elle me lise l'histoire du footballeur. Elle jette un seul regard et déclare que le Roi a marqué des buts. C'est trop facile à dire. Il marque tout le temps ! C'est le meilleur ! Les hommes en parlent dans le métro, en ville, partout. Et la tribu suit aussi ses matchs, si on a pu se procurer une radio qui marche, ce jour-là.

– Lis-moi les petites lettres, sois gentille, Mila...

– Il y en a trop. Tiens-toi tranquille, ou les gens ne nous donneront rien.

Elle se détourne, énervée. Mila ne sait pas lire, c'est sûr ! Elle a reconnu la photo, c'est tout. Je veux lui reprendre la feuille avant qu'elle ne la déchire. Vite, je sors le mégot de ma poche. Elle sourit, le prend, l'ouvre, récupère le tabac et me rend la feuille. Je m'accroupis près d'elle. Un jour, c'est moi qui lui lirai le journal. On reste longtemps derrière la boîte de conserve toujours vide. Les yeux fermés, je peux imaginer que je suis invité dans le château du film dont je ne sais pas lire le nom. C'est pas le bruit des pièces de monnaie qui me réveille, mais les ordres de Mila.

– Malheur, on s'casse. Vite !

On dévale les escaliers. D'un coup d'œil en arrière, je comprends la raison de notre fuite. Un grand blond gesticule sur le trottoir. Des uniformes l'accompagnent. Heureusement, le métro est bondé. C'est facile de les semer dans la foule. Avec la tribu, j'ai appris à disparaître. À ne plus exister. Le blond, on l'a repéré. C'est un bénévole. En plein jour, c'est risqué de nous planquer dans le renfoncement au carton, il donne sur les voies. Une rame arrive. Les portes des wagons s'écartent, on saute à l'intérieur. Mila connaît par cœur les lignes et leurs correspondances, depuis le temps qu'elle vit sous la ville. Avec elle, on se balade des heures au chaud, le tout est d'éviter les contrôles. J'aime bien rouler de métro en métro, mais en voyageant on ne fait pas d'argent.

Le soir, au rendez-vous de la ligne D, Jordi vérifie ce que chaque membre de la tribu rapporte. Il faut avoir quelque chose à lui donner. Sinon, celui qui n'a rien passe la nuit seul et dehors. Alors le blond, il nous complique la vie à nous épier comme ça. Quand il dit descendre dans le métro pour « notre bien », tu parles ! C'est pas sur lui que Jordi la brute se défoule quand on ne ramène rien.

Moi aussi, je déteste le bénévole.

On bloque mes chevilles. Je me réveille en sursaut. Trop tard. On me déchausse. Au-dessus de moi, le Manchot braille ses ordres et rigole salement. D'une ruade, je projette le Petit, sa nouvelle recrue, au loin. Puis percute le Manchot d'un coup de boule au plexus. Le chef crache et jure. Je ne l'ai pas loupé. Courte victoire. De son unique poing, il m'envoie valser contre le mur. Un vrai coup de marteau. À mon tour d'être à terre. Ma basket est sur le quai, devant moi. J'allonge le bras. Je tire ma godasse par le lacet. Le Petit revient, malingre mais teigneux. Il me chevauche, ses ongles se plantent dans mon cou. Je rue comme un pur-sang, il décroche. Le Manchot m'écrase le mollet avec ses grosses semelles. Son rire est monstrueux. Sa bouche sans dents. Il me pique la seconde basket. L'enfile sur sa main et met un aller-retour brutal à son esclave. Je m'enfuis. La raclée continue. Les cris du Petit me poursuivent dans le couloir.

Je cours pieds nus, la chaussure récupérée, la droite, serrée sur mon cœur. Je renifle un goût de sang, il m'a mis un sacré coup dans le nez. Je le saurai : ne jamais s'endormir seul, dans le métro. Et la tribu qui m'a oublié. Ou alors ils ont fait exprès de me laisser roupiller.

Je les entends se quereller en haut de l'escalier. En faisant semblant de fouiller la poubelle, je vérifie l'intérieur de ma basket. Le footballeur fripé est là. Je le soulève, je touche. Mon trésor est toujours en place, lui aussi. Bien planqué. J'ai eu si peur de le perdre. Je remets la chaussure et saute à cloche-pied. À chaque marche d'escalier, mon talon l'écrase, entre le journal et la semelle. C'est mon trésor, mon secret. Mon seul souvenir.

La tribu s'esclaffe à mon apparition. Jordi hurle de rire puis susurre d'un ton mielleux :

– Malheur a bien du malheur ! Pauvre Malheur, il s'est fait voler ?

Je me recule, effrayé par ses grimaces méchantes. Il saisit mon pied nu et me fait tourner comme un avion.

– À cloche-pied, tu es encore plus inutile à la tribu. Ce soir, tu réapparais avec des chaussures ou je te vire, définitivement. Compris ?

– Viens.

Mila me tire. J'ai la tête qui tourne. Quel idiot je suis : m'endormir dans le métro ! Avec Jordi, si tu te fais remarquer, c'est la mort.

Les yeux mi-clos, Mila surveille le quai. Des mères descendent du wagon avec des paquets et une ribambelle d'enfants. Les femmes sont fortes et vives, pas question de s'y frotter. Elles s'éloignent sans nous remarquer. D'autres voyageurs s'agglutinent pour le prochain métro. Pressés d'aller travailler. Une pauvre vieille se glisse au milieu des hommes. Une fille seule balance à bout de bras ses affaires d'écolière. Elle me jette un regard furtif. Ses yeux sont sombres. Une ceinture attache le livre et le cahier ensemble. Mila la désigne du menton :

– Elle. Au dernier moment.

Le métro surgit du tunnel, freine. Les portes s'écartent. Le caoutchouc gémit et plie. Mila compte :

– Cinq, quatre, trois.

La fille timide monte en dernier.

– Deux, un.

Au dernier moment, je fonce, bondis dans le wagon, bouscule la fille et lui arrache son livre. Le signal sonore retentit. Je saute sur le quai. Les portes se referment dans mon dos. Elle n'a pas lâché un cri. Je lance ma prise à Mila restée en arrière. Personne pour nous pourchasser. Mila traîne dans les couloirs en se moquant :

– Quelle fille nulle ! Pas un geste pour se défendre ! L'école ne lui a rien appris. Au contraire ! À l'école, elle est devenue plus bête qu'un mouton : bê, bê, bê !

Je ris et me trouve bête de bêler avec elle.

J'insiste :

– Et mes chaussures pour ce soir, on les trouve où ?

– Marche donc. À force d'aller pieds nus, la peau devient une carapace.

44

Le trottoir est brûlant. Le soleil éclate dans le ciel. Personne devant le cinéma. Dans l'ombre de la cabane du fleuriste, un vieux est installé. Il a disposé ses trouvailles sur une caisse retournée devant lui. À côté, un sac est rempli de vêtements. Tassé dans son fauteuil à roues, il me semble une proie facile. Nous tournons autour de lui. J'avance la main pour agiter une petite statue dans une bulle d'eau. Sa voix me surprend. Autoritaire, elle ordonne :

– Pas touche ! Recule.

Mila rit.

– C'est un client, laisse-le.

Elle relève son pull. Les yeux du vieux s'élargissent. Elle sort le livre de la fille du métro, en tourne les pages. Il y a même des dessins en couleurs. Je voudrais le regarder davantage mais, très vite, Mila le cache à nouveau sous son pull. Le vieux s'énerve.

– Que veux-tu en échange ?

– Des chaussures.

– Je n'en ai pas.

– C'est pour le môme.

– Prends autre chose, pour toi.

Mila fouille dans le sac plastique. Elle en tire une chemise immense et une veste à carreaux. Elle hésite puis enfile la veste à toute allure. Les boutons ont été arrachés mais les couleurs sont jolies : rouge et vert.

– Maintenant, donne le livre !

– Je veux des chaussures.

– Tu te crois au supermarché ?

Le vieux râle dans sa barbe. Elle agite le livre sous son nez, l'approche et le recule. Il tire un carton d'entre les roues. Méfiant, le vieux l'ouvre sur ses genoux.

– Ce sont les seules que j'ai pour lui.

Il ne lâche les chaussures que lorsqu'il tient le livre. Ses doigts maigres caressent la couverture en carton. Il l'ouvre enfin.

– 108 pages ! Manuel de troisième année. Géographie et sciences.

Il le feuillette, satisfait, et lit à haute voix. C'est magique.

– L'île-volcan, les plus hautes chutes du monde, les grandes capitales… Il faut que tu m'en trouves un sur le pôle Sud.

– Les livres, ça pue ! Et toi, tu es un tas d'ordures !

Le vieux nous fusille du regard et profère des menaces.

Le marchand de fleurs, alerté par les cris, sort avec un long bâton. Nous nous enfuyons.

– Sans moi, tu serais mort depuis longtemps ! Tu as vu ? Pour un livre, le vieux me donne ce que je veux. Facile.

– Mais comment tu savais ?

– Je sais, c'est tout. Jordi, c'est la colle ; lui, c'est les livres !

Mila se dandine et fait la fière avec sa veste. D'un fil arraché à son pull troué, elle attache ses cheveux. Je l'avais jamais vue se coiffer.

Moi, je suis content aussi d'avoir deux chaussures. Même si j'aimais mieux mes baskets.

Mila fait le guet pendant que j'enfile la paire en plastique bleu pour me présenter devant Jordi. Je n'ai pas voulu les essayer devant le vieux. Avec ses yeux perçants, il m'aurait vu trafiquer au fond de mes chaussures. Mila ne connaît pas mon secret. Personne ne doit savoir dans le métro. Sinon, je me le ferai voler.

Les chaussures bleues sont trop grandes. Mila cherche autour d'elle un journal ou des publicités pour les rembourrer.

Pendant qu'elle a le dos tourné, je change mon trésor de chaussure. Ma basket atterrit sur un tas de saletés. J'ai laissé le Roi du ballon dedans. On ne distinguait plus rien sur la photo. Mon trésor aussi s'abîme. C'est pas un endroit pour quelque chose d'aussi beau.

Je le prends dans le creux de ma paume et le regarde. C'est un écusson rond, doux et petit. Un poisson bleu et argent y est brodé. C'est mon ami. Il nage au milieu d'une guirlande de fleurs et de feuilles. Sur l'envers, on ne voit pas les nœuds. L'écusson est fixé sur une toile rouge sombre. C'est ma grand-mère qui l'a fait. Elle m'appelait « Poisson d'argent », comme ces petits insectes luisants qui glissent entre les briques et le ciment.

Mila revient, des pages de cahier froissées à la main. Je ferme vite mon poing, cale mes chaussures. Je me retourne et fais disparaître mon trésor sous mon talon droit.

À notre retour, Jordi a oublié sa menace. Trop occupé à ricaner avec un dur de son âge. Ils se passent des cartes avec des photos de filles. Ils ont l'air bizarres quand ils matent Mila. Elle les insulte, leur fait un bras d'honneur et s'enfonce dans le tunnel, au mépris du danger. Je ne peux pas la suivre. Pas tout de suite. C'est trop sombre le métro après l'éclat du jour, au-dehors. Les yeux doivent s'adapter. Cette nuit encore, dans le réduit sur les rails, je toucherai mon trésor. Du bout des doigts. Et ça suffira à effacer les mauvaises heures de la journée.

Aujourd'hui, la tribu n'a pas pu mendier. Les brigades bloquaient toutes les bouches de la ligne D. Nos boîtes de conserve sont vides. Seul l'Idiot a pu voler un sac de provisions : navets, tomates et oignons. Jordi se gave des légumes crus puis écrase le reste sous nos yeux. Très mauvais jour. Son plan pour acheter de la colle cette nuit tombe à l'eau. Sans argent, c'est raté. Il crie et cogne au hasard. On ne sait plus où se mettre pour échapper à sa fureur. Un hurlement jaillit. Mila se rebiffe, mord la main de Jordi. Tente de le griffer au visage. Il la repousse. Elle tombe. Sa tête tape le ciment. J'ai peur pour elle, je me rapproche. La brute m'attrape, me tient en suspens par mon pull déchiré. Je flotte dans l'air comme le château.

– Malheur, tu vas payer !

Mon corps se balance au-dessus des voies.
Jordi va me lâcher sur les barres d'acier.
Je pense à mon trésor. Des coups de sifflet
fusent dans les couloirs. Ils se rapprochent.
Jordi grimace, hésite, me jette en arrière
sur le quai.
Je roule contre Mila, qui s'est évanouie.
Je secoue sa main, toute molle dans
la mienne. Le reste de la tribu disparaît
le long du boyau de la ligne. Des hommes
en uniforme surgissent. La brigade
surveillait encore le métro. Le capitaine
m'oblige à me réfugier dans la direction
opposée. Je l'entends s'occuper de Mila.
Des infirmiers arrivent, l'emportent.
Ils ne font plus attention à moi. Je file
vers la sortie.
Juste avant les grilles, je me faufile entre
un kiosque et le mur. Pour dormir,
mais caché. Je suis épuisé. J'entends à peine
une ambulance rugir à travers la nuit.
Demain, à l'ouverture de la station,
j'irai dehors.
Je ne veux plus vivre dans le métro.

Une fois, avec Mila, on a essayé de trouver un autre abri, ailleurs. C'est impossible. Partout, les grands utilisent les petits. Jordi, son domaine, c'est la ligne D, mais à côté, un autre chef règne. Dans le quartier des bouchers ou sur les chantiers du centre-ville.

J'ai envie d'air. De ciel. De bouger dehors. Mila me parlait souvent d'un grand parc. Je me souviens du nom, mais ça ne me sert à rien. À la station des cars, je ne peux pas lire les petits mots sur le plan de la ville. Ni ceux écrits en gros sur les panneaux ou sur les bus.

– Où veux-tu aller ?

Une femme me questionne pour m'aider.

– Au parc Bartoldi.

– Bonne idée. Il est très beau, sur les hauteurs de la ville. Tu dois prendre le bus numéro 25, et descendre au terminus.

– Il est ouvert aujourd'hui ?

– Bien sûr.

Elle me détaille, me tend deux tickets.

– Tiens. Pour l'aller et le retour. Ne les perds pas.

D'un coup d'œil autour, je vérifie que personne ne me volera. Dans la tribu, tout ce que je recevais était revendu.

La femme attend avec moi comme si elle comprenait ma peur. Elle fait signe au chauffeur du bus pour qu'il stoppe. Elle me dit que c'est le bon numéro, 2 et 5. Mais ces chiffres, je les connais déjà. Ils sont inscrits sur les pièces de monnaie. Elle me fait monter et me crie au revoir. Je lui réponds. Ça me fait bizarre.

Je m'assieds contre la vitre. La ville défile.
C'est excitant. Il fait beau. Beaucoup
d'enfants marchent avec des livres sous
le bras, se bousculent devant l'entrée
d'une école. À l'école, on apprend à lire.
Ils ont l'air heureux. Je me demande
comment ils font pour rester assis et obéir
au maître toute la journée.
Moi, je suis libre. Je bouge. Et aujourd'hui
je vais au parc.

Sur l'herbe, des petits jouent. Je shooterais
bien dans leur ballon. Mais je préfère
ne pas me faire remarquer. Des adultes font
du sport. Les mères rient autour des bébés.
Ils se ressemblent tous. Les vêtements qu'ils
portent sont à eux. Ils sont propres.
Ils lisent le journal. Comme si le bus 25
m'avait conduit dans un autre pays. Je n'ai
jamais habité un endroit comme ça.

Je suis les allées du parc. Je regarde des filles et des garçons qui disputent un match de foot. Sans se donner de coups. Un adulte fait l'arbitre. Il y a aussi une grotte, des arbres, beaucoup de fleurs. Et puis de longs bancs en bordure d'un bassin, recouverts de graffitis de toutes les couleurs. Je m'approche pour mieux voir les dessins. Je m'allonge sur un banc et je suis du doigt les lettres emmêlées d'une signature jaune. Le soleil me chauffe le dos et je m'endors dans le jardin merveilleux.

Une main me touche l'épaule. Je me recroqueville brusquement. La main insiste. J'ouvre les yeux.

– Tu viens souvent ici ?

Je me tais, n'ose pas me déplier.

– Quel âge as-tu ?

– Le parc est à tout le monde.

– Je ne viens pas t'arrêter. Tu as l'air à bout de forces. Tiens !

Méfiant, je cherche à savoir sur le visage de l'homme pourquoi il me donne quelque chose, mais je prends l'orange.

J'épluche le fruit. C'est bon. Quand je mange la dernière tranche, l'homme propose :

– Tu peux venir dans un foyer pour les enfants comme toi.

– Non.

– Tu te laveras, tu auras à manger et tu dormiras à l'abri.

– Non.

– Tu as peur d'être enfermé. Pourtant, ceux que tu fréquentes te battent. Tes jambes sont couvertes de bleus.

– Je les ai faits en jouant au foot.

– Le foyer n'est pas la prison. C'est une grande maison avec un règlement pour tous.

Mila l'aurait insulté. On se serait enfuis en riant. Elle a la haine pour ceux qui veulent nous emmener. Dans les centres d'accueil, les enfants ne sont pas libres. Mais Mila n'est plus avec moi et Jordi est devenu trop fort.

– Dans ta grande maison, on apprend les lettres ?

– Si tu décides de rester au foyer, tu suivras l'école, bien sûr. Pour vivre avec les autres enfants, il faut juste que tu promettes de respecter les règles.

Je lèche le jus sur mes doigts. Il m'observe.

– Je peux venir que pour l'école ?

– Non. Je viens de t'expliquer.

– Pour savoir lire ?

– Non.

Je crache les pépins sur ses pieds de bénévole et me sauve.

Dans ma poche, je touche le ticket du retour. Je ne peux pas retourner à la ligne D. Penser à Jordi me terrorise. Et puis, je ne veux pas rester avec eux sans Mila.

Je ramasse des biscuits sur le sol, que je dévore en me précipitant hors du parc. Le gardien verrouille déjà les grilles pour la nuit.

À l'arrêt du 25, un petit vieux me donne une pièce contre le ticket. Je descends à pied.

Je ne connais pas ce quartier. Les longues rues en pente mènent en bas de la colline. Le centre-ville est très éloigné. L'obscurité tombe d'un coup. Les allées des immeubles sont fermées par des codes et des serrures. Le moindre recoin a l'air occupé. Un chien qui veille, un dessin à la craie, un carton, des signes qui ne sont pas là par hasard. Pas de place pour un nouveau venu.

À une buvette, je dépense ma pièce, avant qu'un grand ne me la fauche. J'obtiens une glace en échange. L'ombre me fait peur. Je mange la crème vanille debout entre les tables. Par-dessus les voix des hommes qui s'échauffent, j'entends celle de la serveuse :

– Tu cherches le centre d'accueil ? C'est sous le porche ! Dans la rue qui descend avant la grande boutique.

Je ne réponds pas. Grand-mère et moi, nous habitions sur l'autre colline, en face. C'est loin. Là-bas, je connais toutes les rues.

Entre les deux collines s'étend la vraie ville. Là où les rues et les panneaux publicitaires restent éclairés toute la nuit. Chez grand-mère, on utilisait une bougie. Quand je me réveillais au milieu de la nuit, j'entendais sa respiration, forte. Apaisé, je me rendormais. Le matin, elle me réveillait avec une chanson. Faut pas que je pense trop fort à elle.

Soudain, j'entends des pas derrière mon dos. Mes jambes deviennent de coton. Je me retourne, personne. La trouille me fait mal au ventre. Un truc brille dans le passage devant moi. Une lame ! Je fais demi-tour, cours comme un fou dans la pente raide. Mon pouls bat trop fort. Je n'entends pas si l'on me suit. Encore un sprint. Je m'essouffle. À droite, une lampe suspendue sous un porche : l'entrée du centre.

Sans réfléchir, je frappe.

Mes yeux sont fermés. Pourtant, je devine la clarté. Où suis-je ? Je ne soulève pas les paupières. Sans me redresser, mes doigts tâtent tout autour. Je suis allongé sur une toile tendue. Un lit ! J'entends des bruits de voix et de la vaisselle qui tinte. La mémoire me revient d'un coup. J'ai passé la nuit au centre d'accueil ! J'ouvre les yeux. Le soleil inonde le dortoir.

– Y a longtemps que tu n'avais pas dû dormir tranquille, non ?

Le grand me parle depuis la porte où il s'appuie.

– J'ai été désigné pour m'occuper de toi. Je m'appelle Mat. Le temps que tu restes ici, je suis ton parrain. Le seau et le savon, c'est pour te laver. Je retourne avec les autres. Attends-moi ici, quand tu auras fini. Tu as compris ?

Je hoche la tête. Je n'ose pas me lever. Mila va me détester, elle va me tabasser si elle apprend que je suis un traître.

Je n'ai pas envie de quitter le lit tout de suite. Il y en a beaucoup d'autres autour de moi. Sur chacun, une couverture est pliée à la tête. La lumière entre par deux fenêtres. Elles sont hautes avec des rideaux rayés. La pièce sent le propre. Ouf ! mes chaussures bleues sont rangées sous le lit. Mon trésor est là, il dort encore. Puisque le grand est parti, j'attrape ma chaussure droite. Et souffle dedans pour nettoyer mon secret.

Je suis les fils d'argent avec mon doigt. Je connais leur chemin par cœur. J'avais presque oublié les belles couleurs. Ça faisait longtemps que je n'avais pas regardé l'écusson en plein jour. Très longtemps.

À force de marcher dessus, il s'est un peu décousu. Je peux passer mon petit doigt entre les deux tissus, le rouge et le brodé. Soudain, je sens autre chose que la toile et les fils. Je touche encore. Surprise ! Il y a vraiment quelque chose glissé à l'intérieur. Le grand revient. Pas le temps de regarder. Je refourre le tout dans ma chaussure :

– Debout, paresseux ! Les éducateurs te verront après. Ils sont occupés. Viens manger. Dépêche-toi.

Je dors au centre depuis neuf nuits.
J'ai promis d'essayer de rester. Ce matin,
nous allons au vestiaire. Un endroit où
les gens qui possèdent trop de vêtements
en donnent pour nous. Nous marchons
longtemps. Soudain, je reconnais les
pigeons, le square aux vieilles. La ligne D
est toute proche. Je n'avance plus. Je pense
à Mila. L'éducateur m'appelle. J'ai envie
de savoir si elle est sortie de l'hôpital.
D'aller voir à sa place habituelle en haut
de l'escalier. L'éducateur insiste. Il revient
vers moi et me prend par les épaules.
Je repars avec lui.
Un ricanement jaillit de derrière un gros
conteneur. Mila se tord de rire sur
le trottoir d'en face, elle appelle Jordi.
La tribu au complet débarque aussitôt
et nous suit. Ils crient :
– Vendu, Malheur est un vendu !
Je suis traître. Ils tapent des mains, sifflent.
Les insultes pleuvent. Si c'était l'éduc
blond, ce serait pire.

J'ai chaud, j'ai froid. La tribu semble se lasser, mais Mila en rajoute. C'est elle la plus méchante. Mila, arrête ! S'il te plaît, arrête ! Je le lui demande du regard, sans ouvrir la bouche. Elle a un pansement sur le crâne. Il est sale et la moitié de ses cheveux a été tondue. Elle traverse, court à côté de moi, me pousse. Me fait trébucher sur son pied tendu. Je tombe. Sa voix me transperce l'oreille :

– Lâche ! Pourriture de vendu !

L'éducateur la chasse. Il me relève. Me tient contre lui pour avancer.

Notre but était proche. L'éducateur tire le verrou derrière nous. Pas de chance ! Le vestiaire ressemble à un magasin. Collée à la vitrine, Mila reproduit tous mes gestes. Je ne sais pas où me cacher. J'enfile une chemise. J'essaie un pantalon sur mon vieux short. Mila mime des grossièretés. La dame du vestiaire sort pour la disputer, mais elle s'en moque. Dès qu'elle est rentrée, ceux de la tribu défilent. Nez écrasé contre la vitre, ils recommencent. Douze reflets humiliants. Les autres du centre pouffent quand l'Idiot nous montre ses fesses. Mais, dans leurs yeux, la peur se mélange à l'excitation. Ma salive est métallique, ma bouche sèche. La terreur a un drôle de goût.

L'éducateur, furieux, appelle la police devant eux. En le voyant téléphoner, la tribu s'envole. Mila crache dans ma direction. Plus jamais je ne pourrai me réfugier dans les couloirs de la ligne D. Je n'ai plus le choix.

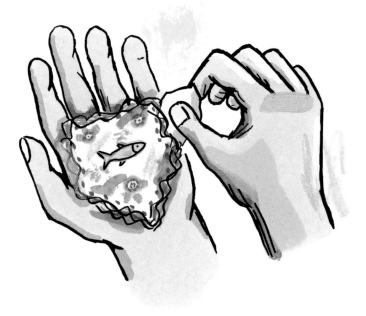

Depuis que la lune éclaire les nuits, je me relève. Debout devant les fenêtres du centre, l'écusson brodé sous les yeux, je regarde. Je réfléchis. Je me demande pourquoi cette surprise cachée dans l'écusson. Pourquoi ce message écrit à la main. J'hésite.

Je ne sais pas si je peux faire confiance à mon parrain. Pourtant, je voudrais bien savoir. Je pèse le pour et le contre. Mat aide les éducateurs au centre mais il est gentil avec moi.

Sa voix me surprend soudain. Je ne l'ai pas entendu arriver. Mat murmure :

– C'est à toi ?

– Grand-mère l'a brodé pour moi. Quand j'étais bébé, elle l'accrochait à ma veste. Pour me protéger du mauvais œil et pour que la chance soit avec moi.

– C'est joli.

– Le poisson d'argent est mon porte-bonheur. Parce que c'est comme ça qu'elle m'appelait.

– Garde-le précieusement, ta chance viendra.

– Mat, depuis le temps que tu es ici, tu sais lire, maintenant ?

Je me décide. Dans le rayon de lune, j'attrape du bout des doigts le rond de papier caché au creux de l'écusson. Par le petit trou que j'ai bien agrandi. Je le tire de sa housse brodée. Je le défroisse. Lisse et blanc, il étincelle dans le creux de ma paume. Encore plus fort que le poisson. Mat observe sans rien dire. Il y a des signes écrits en cercle dessus. La première lettre est plus grande. Un poisson minuscule l'entoure. Les autres mots suivent noirs et réguliers, comme une ronde. Je lève les yeux vers Mat. Il me regarde droit. C'est la première fois que je vois son sourire.

– C'est un message. Tu veux que je te le lise ?

Je me jette à l'eau et réponds dans un souffle :

– Oui !

– « Mon petit, ces mots sont pour toi, si quelqu'un d'autre les lit, arrête-le. Obéis à ta grand-mère. »

Mat se tait. Il est autant étonné que moi.

– Tu as tout lu ?

– Non. Mais j'obéis à ta grand-mère. Il reste d'autres mots à lire.

– Combien ?

– Beaucoup !

Il ajoute doucement :

– Elle t'aime, ta grand-mère. Tu as vraiment de la chance !

Moi, je ne comprends rien. Ni à ce qu'il me dit, ni au message.

Chaque matin, on se retrouve dans la salle de travail. On est quatre. Trois filles et moi. Les autres du dortoir n'ont pas encore envie. Pour apprendre à lire, il faut s'engager à rester au centre. C'est sérieux. Un vrai contrat. On peut se balader, mais on doit revenir dormir chaque soir. Et, surtout, la colle est interdite. Si tu reviens drogué, les éducateurs te laissent le temps de récupérer, mais après ils te remettent dehors. C'est dur. On doit aussi se laver. Quand une bagarre éclate, il ne faut pas la faire dégénérer. Les armes sont interdites, même les couteaux. Pour les plus grands, c'est très dur. Bien plus dur que d'apprendre à lire.

Je répète les lettres qu'une grande nous montre avec son doigt. J'écris avec la craie sur une planche peinte en noir. Dans la salle, il n'y a pas de cahiers ni de livres avec des dessins en couleurs. On apprend sur des pages de magazines. Certains jours, on va les récupérer dans les rues. Quand les gens les ont lus, ils les empilent devant leur porte pour que nous les ramassions. Les plus jeunes les trient. Le papier journal d'un côté. Le papier glacé de l'autre. On les charge dans une camionnette, qui les emporte pour qu'ils soient réutilisés. C'est notre travail au centre. On garde les plus belles pages pour nous.

Hier, dans la rue, j'ai croisé l'éducateur blond. Il ne travaille pas ici.

Le dimanche, on est libre toute la journée.
Je veux aller sur l'autre colline. Celle où
grand-mère avait sa maison, ma maison.
Mat m'accompagne à l'arrêt des cars.
Sur le panneau, je déchiffre à voix haute
la destination de mon bus. Il me félicite.
Et me montre l'affiche collée sur un poteau.
On est seuls. J'articule les mots écrits
en gros. Je les répète en criant presque :
– Cinéma Le Splendid !
Le film de la première séance s'appelle
Sabres et dragons.

Mat me laisse. Je le regarde s'éloigner. Quand, soudain, j'aperçois quelqu'un qui se dissimule derrière un arbre, sur le trottoir d'en face. J'ai le cœur qui bat. Une manche à carreaux dépasse du tronc. Mila sort lentement de sa cachette. Je surveille les alentours avec appréhension : la tribu n'est pas là. Il n'y a qu'elle. Je suis sûr qu'elle m'a entendu lire. Elle ne traverse pas. Ses cheveux sont à peu près coiffés. Elle ne fait rien pour m'attaquer. Ses yeux bleus ne me quittent pas. Je les trouve tristes. Mon car arrive. Je ne peux pas le louper. Je monte, cours jusqu'à la vitre du fond, pour la regarder le plus longtemps possible. Mila est venue jusqu'ici.

C'est un grand soir. Assis sur le seuil de la maison de grand-mère, je serre mon trésor. Je voulais être seul, sur cette colline, sur cette marche.

Depuis une semaine au moins, je sais lire mais je me suis retenu.

Je ne sais toujours pas ce que dit mon message et je me demande bien qui a pu l'écrire. Les voisines étaient comme grand-mère, qui ne savait même pas écrire son nom.

Au creux de ma paume, le poisson argenté brille. J'ai l'impression qu'il frétille. Je lis haut et fort mon message. Je lance les mots au ciel et au soleil.

« Mon petit, ces mots sont pour toi, si quelqu'un d'autre les lit, arrête-le. Obéis à ta grand-mère. »

Je me lève, souris et reprends mon souffle : « Je suis fière de toi, mon petit Poisson d'argent. Tu sais lire. C'est la plus grande joie de ma vie et de ma mort. Grand-mère veillera toujours sur toi. »

Achevé d'imprimer en août 2008
sur les presses de l'imprimerie Clerc
à Saint-Amand-Montrond (18) - France
Dépôt légal : août 2006